Émotions

Enzo Gallice

Émotions

Roman

LE LYS BLEU
ÉDITIONS

ISBN : 979-10-377-5964-1

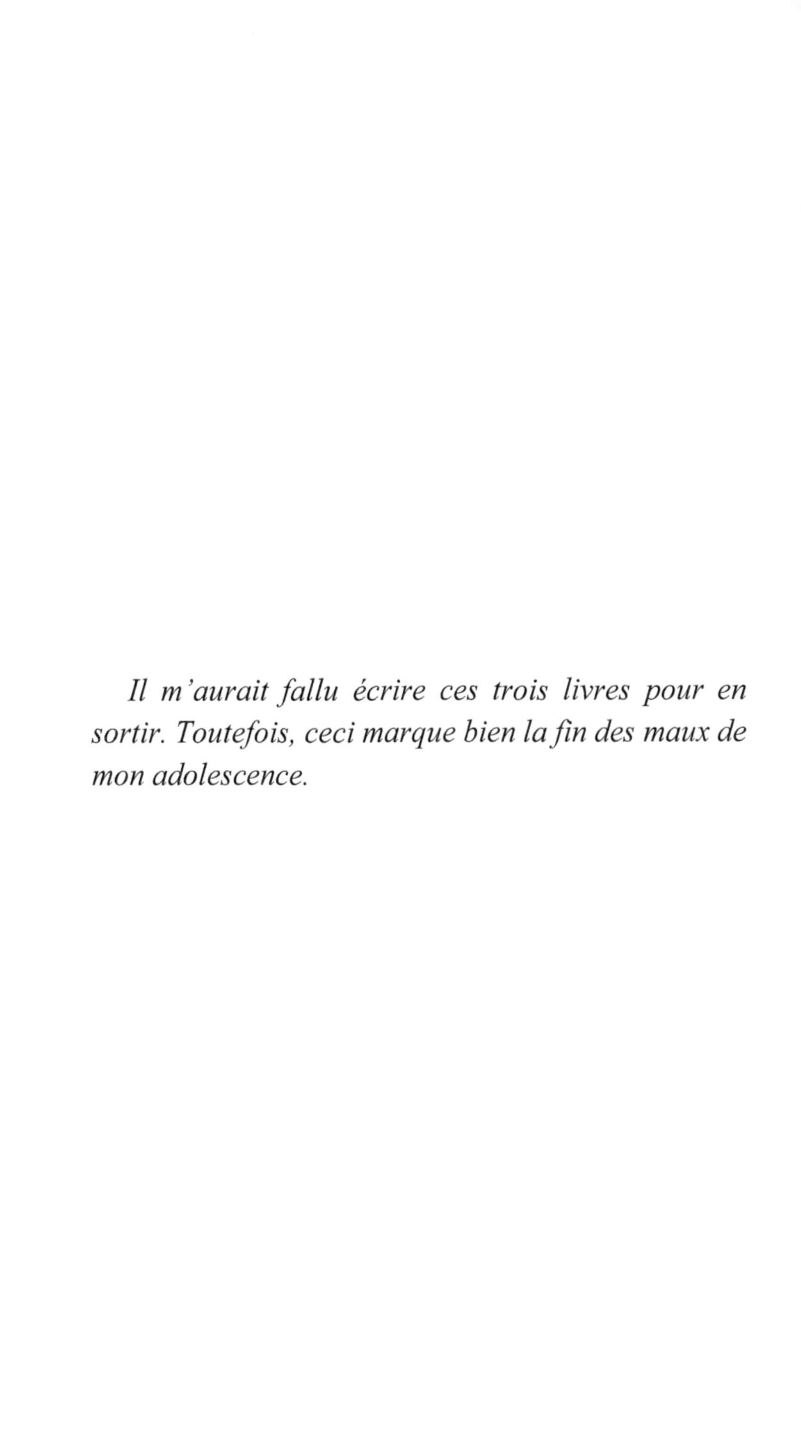

Il m'aurait fallu écrire ces trois livres pour en sortir. Toutefois, ceci marque bien la fin des maux de mon adolescence.

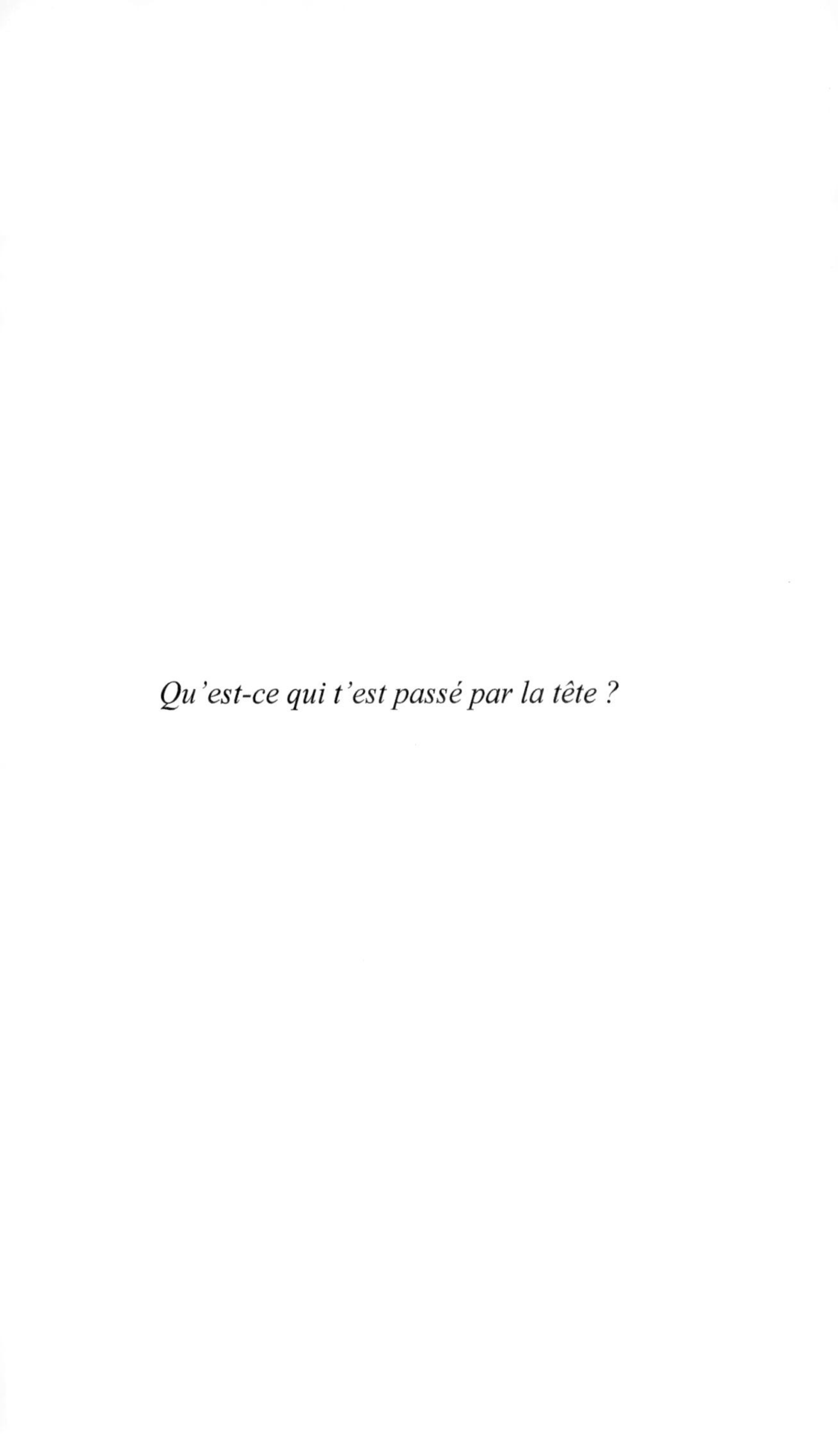

Qu'est-ce qui t'est passé par la tête ?

Chapitre 1

Crise

C'était une pensée vaguant le long de ma marche sur ce sentier sableux. Elle me contrôlait à vrai dire, c'est ce que je pensais. Je ne détournais jamais le regard, pourtant je ne me trompais jamais. Le temps était frais, presque tiède. La couleur de ces yeux, je les revois, bleu comme les miens, à refléter la couleur du soleil, qui doucement tente de reprendre sa place au milieu du ciel. Il m'est arrivé, encore hier soir, de pleurer sur ces pensées rongeuses. Mais maintenant, je les laisse filer. Je ne me tords plus de souffrance à essayer de les comprendre ou à essayer de les contrôler. Elles me saisissent à présent, maintenant à pleines mains.

Mon esprit qui autrefois s'étirait forme une sphère parfaitement ronde.

Mais il ne faut pas voir ceci comme le résultat d'un long train de vie bouddhiste.

C'est peut-être même tout l'inverse.

Mais j'évite de penser à tout cela.

Je vis.

Tu vis.

Nous vivons.

C'est comme cela.

Alors j'essaye de profiter de ces paysages argentés et de cette mer encore calme.

Il m'arrive de sortir voir l'horizon la nuit, quand je n'arrive plus à me reposer.

C'est donc lors de cette balade sauvage que mon esprit de fauve s'apaise. C'est ici que je pense être réellement moi-même, ou du moins, la version de moi qui me plaît le plus.

Je m'en rends compte en écrivant, cela permet d'avoir les yeux encore figés.

Ce n'est pas simple de se confier, et sûrement, qu'on me reprochera ceci comme le moyen de me libérer de mes émotions. Comme un journal intime. Toutefois, j'aimerais tant pouvoir écrire sur un personnage un peu plus charismatique ou heureux, mais je pense que c'est impossible. J'écris ceci en pleine vogue d'âme, à l'heure où les deux aiguilles du soir se croisent.

Je ne peux m'empêcher de penser à cette fille et à sa nuque encore fraîchement mouillée, à sa robe qui flotte dans les airs et à son collier de fleurs.

Ce ne sont peut-être plus ces balades qui m'animent après tout.

Ne serais-je donc bon qu'à être ce flâneur ?

Mais je retomberai dans l'angoisse et la folie si je continue. Mais si je ne le fais pas, c'est l'accumulation qui me tuera.

Je préfère ne donner aucun nom ici. Retenez simplement que je suis moi.

C'est ainsi que vous devez m'imaginer : une ombre qui doucement, marche. Qui lui semble être ce qui lui plaît, en direction de cet idéal qu'il ne pourra jamais atteindre.

La fatigue me prendra sûrement, mais je continuerais jusqu'à m'en écrouler.

Vous ne semblez pas tout comprendre ?

À vrai dire ce n'est pas nécessaire. Moi non plus.

Mais chaque Homme à sa part de folie pas vrai ? Seulement, chacun à un degré différent.

Puis si je deviens fou, qui viendra à mon secours ? Cette mère, ce père, cette sœur, cette chaleur, mon tombeau ?

C'est donc toujours dans ce but que je m'efforce de marcher, concourir, lutter, tenter ? Je devrais, et il serait préférable de tout stopper à présent. Ce n'est plus utile, d'ailleurs rien ne l'est vraiment.

Ce n'est pas la souffrance qui manque ici, les mots coulent à flots et l'inspiration me vient en torrent.

C'est parce que l'on ne va jamais totalement bien que j'écris ceci et que j'ai la force de vous le dire. Je me vois mal forcer le courant et cette porte blindée de la pensée dominante. Peut-être qu'il vaut mieux devenir ce mouton que ce loup solitaire après tout.

Mais maintenant, je suis sûr que vous avez saisi mon propos, ou que vous vous rapprochez du but de ce que vous lisez. Ne pensez pas que j'essaye de vous mener en bateau non plus, j'essaye juste de vous faire voyager un peu, en vous laissant entrer dans ma tête un instant. Mais ce qui me fait le plus peur, c'est de me dire que personne ne me croira, quand je dirai que je ne me suis aucunement inspiré de mon « moi-personnel » pour ce que j'écris aujourd'hui. Peut-être qu'on ne saisira pas, et que je resterais à jamais cet oublié. Ou peut-être qu'on saisira, et dans ce cas, c'est sûrement bien plus perturbant.

Il ne faudra pas non plus me reprocher ce qui ne sera plus modifiable. Contentez-vous de me blâmer. Si j'ai encore le courage, j'acquiescerais de la tête.

Je rêve et me couche chaque soir dans ces draps bleu foncé et me disant que ce n'est pas le plus terrible. Que la vie, quand elle ne coulera plus, me glacera. Qu'elle me figera sur Terre, car même si mon âme se perd au Ciel, puis certainement au Paradis, une part de moi restera toujours sur terre avant qu'elle n'explose. Peut-être qu'un bout de ma peau sera à la naissance d'une jolie fleur. En espérant qu'elle devienne trop imbécile pour avoir ce genre de questionnement.

C'est un message de papa, pour toi ma future fleur, ne pense plus, à t'en détruire.

Je t'attendrais.

Jusqu'au jour où vous apprendrez que j'aurais fait le choix d'être incinéré.

Puis que mes cendres seront dévorées par quelque chose, puis digérées, recrachées, malaxées, déformées, puis à la création de quelque chose d'encore sûrement plus complexe que tous ces simples questionnements que je peux avoir.

Non pas que je sous-estime ce qui se trame et que je relate aujourd'hui, mais que ce n'est peut-être pas aussi original que je le pense.

On me décrira sûrement comme étant un grand souffrant, pourtant je n'ai, je crois, rien à redire.

Mais plus les pages défilent et je me dis que tout perd de sens, que je tombe moi aussi dans ces répétitions infinies. Mais j'espère au plus profond de moi que vous ayez les yeux bien figés, tout comme les miens.

C'est donc ceci d'écrire avec le cœur ?

C'est étrange, j'ai l'impression de partir, mais de devenir plus fort à la fois.

C'est comme si je rentrais au plus profond de moi, mais encore plus que d'habitude. Ces questions existentielles, que je pensais être l'essence de mon âme, se révéleraient n'être qu'en fait, une coquille creuse, au cœur crémeux. C'est le but de l'Homme, briser cette coquille.

Mais il me reste encore à penser, certaines plaies ouvertes. Rien n'est physique, mais tout un jour, y jouera indirectement.

On me reprochera aussi sûrement ce manque de clarté et d'organisation. Mais au-delà de ce que j'ai pu subir d'habitude, je pourrais enfin dire que je suis celui qui décide. Que si cela ne convient pas, qu'il ne poursuive pas, et que pour celui qui approuve et accepte, continue le voyage.

Je pourrais parler d'essences qui brûlent en moi, mais ce serait vous mentir. La mer de mon âme n'est pas agitée, et je ne suis pas révolté, loin de là. Je pense avoir passé ce stade, du moins pour un instant. C'est sûrement un des plus beaux moments de ma vie.

Passer le stade du révolté, et rejoindre le bateau de la tranquillité.

Mais peut-être que ce bateau plein de joie et de bonheur ne mène qu'à ma fin, et vous auriez raison. Mais d'ailleurs, je me fiche de cette raison, il n'en ai ici, pas question.

Je refuse de me soumettre, mais sans me révolter, toute la subtilité réside dans ce charisme d'esprit et de ce contrôle de soi. C'est ce que j'essaye d'améliorer de jour en jour.

Je pleure déjà le jour ou l'instant, ou je me sentirais incapable, bien triste et nostalgique de ces belles pensées.

C'est bien, c'est écrit et maintenant ?

Puis cette autre part de moi souhaite que subitement l'orage s'abatte sur moi et me fende le crâne en deux. Que mon corps implose. Qu'un fil électrique me transperce ou plutôt, glisse le long de tous ces fils qui me tissent.

Mais j'aimerais aussi parler de ce temps, un instant. Mais vous devez déjà tout vous imaginer. Ce n'est peut-être pas nécessaire, mais j'en ressentirai le plus grand bien. Alors je le ferai.

Le temps file, c'est un fait, à toute vitesse, c'est un fait, je l'utilise. À bon escient, peut-être pas. Ce n'est pas moi qui choisis et ce n'est peut-être pas plus mal.

Il serait bien difficile de savoir ce qu'est le bien et ce qu'est le mal. Je pense que l'on s'imagine peut-être plus facilement proche du Paradis que des Enfers. C'est aussi sûrement une de mes plus grandes peurs après celle de perdre, c'est le temps. Ou plutôt, ma trop grande ambition, qui finira sûrement par me dévorer.

Il me vient obstinément cette envie de prendre par mes mains ce joli collier de fleurs et de lui effleurer la peau, à elle.

Cette si douce. Mais tout cela se terminera sans doute très prochainement. Sans que je ne puisse rien y faire. Je deviendrais encore une fois cet impuissant, victime sur lequel le sort impitoyable s'acharnera.

Mais je préfère encore mourir de mes propres mains, me dire que j'ai encore un peu de liberté dans ce monde de fous.

Il faudra aussi que je me penche sur ce qui arrive très prochainement et qui est déjà en action. Cet état de surveillance que décrivait Orwell dans son œuvre 1984 ne sera je le pense, pas aussi éloigné de la réalité que cela. Nous finirons sûrement tous sous l'indépendance du système anti-nuance de Big-brother.

On acceptera de nous donner, en partie par peur. Nous deviendrons alors ses esclaves par convictions. Car comme nous le faisait entendre Étienne de la Boétie, le tyran n'a de pouvoir que parce qu'on accepte de lui en donner. C'est à partir d'ici que tout deviendra le plus dangereux, ou le plus merveilleux selon les points de vue. C'est à partir de ce moment que nous pourrons vivre la vie dont nous avons toujours voulu. C'est cette deuxième vie, qui nous poussera à compléter la première. Cette réalité sera, j'en suis sûr, bientôt un enjeu majeur de notre civilisation. Puis, en découlera de cette essence de la puissance de l'influence, l'irrémédiable techno-zombilisation.

Ils seront ces Hommes rendus à l'état de robot dans des machines transformatrices de réelles, ou plutôt confectionniste d'un nouveau réel.

Mais je n'arrive toujours pas à savoir si tout deviendra magique ou tragique.

Il y aura forcément des non-dits et des non-pensées par nos tyrans, et c'est cela qui m'inquiète. Qu'on ne se rende pas compte que la machine lancée devient instoppable. Que le tambour de la machine s'agrandit et qu'il va bientôt tout écraser.

Les deux aiguilles dont je vous parlais tout à l'heure commencent à s'éloigner.

Je vais aller dormir.

Chapitre 2

Aujourd'hui est un jour bien spécial.

Celui de la pression, qui vient au commencement et à l'arrivée de celle du curé dans la grande salle résonnante. Les mosaïques aux murs sont magnifiques et représentent pour la plupart des personnages religieux. Les petits carrés multicolores sont translucides et laissent en leurs seins, passer les quelques rayons du soleil.

L'orgue, les robes blanches, ces crucifix. Tout ceci me donne la nausée, ou plutôt la chair de poule. Mais par peur du rejet, je me conforme et ferme les yeux à mon tour.

— Au Nom du Seigneur Jésus-Christ.

Les gens se taisent, puis vient le temps du relâchement.

Pour la prière parfaite, il faudrait que je sois confiant, humble, patient, persévérant, prêt à l'écouter, dans les conditions nécessaires à la présentation de mes besoins. Mais je suis bien loin de toutes ces conditions. Je me contente pour l'instant de fermer les yeux et d'essayer de l'imaginer au sommet de tout.

Je vois ses mains gigantesques ainsi que ces fils. Je vois le soleil chercher sa lune, le jour cherchant son ombre, pour un instant peut-être une fois, faire une pause, prendre du repos.

Des cris retentirent et l'orgue se coupa.

— Dieu pardonne nos péchés !

La foudre tomba.

— Dieu pardonne notre manque de confiance !

La foudre tomba.

— Dieu pardonne notre imprudence !

La foudre tomba.

Le curé jouait de ses mains et frappait l'air de toutes ces forces. On lui répondait.

Le ciel grouillait, fumait de ces incessantes secousses, de ces flashs lumineux.

— C'est donc ici que tout doit se finir Dieu ?

La foudre tomba.

C'était un vrai duel qui se jouait entre le Divin et l'Homme. Ce prêtre qui combattait et tentait de braver l'invincible pour nous faire espérer nous autres Hommes, un jour accéder à un endroit un peu moins crasseux.

Mais pourquoi tant de bonté ?

Pourquoi vouloir combattre vainement, pour une cause certes louable, mais purement altruiste ? Mais c'est sûrement un de ces mensonges quotidiens qui me pousse à penser de cette façon.

J'écris et agis par altruisme uniquement pour satisfaire une partie de moi en manque de bonne action. Ce n'est donc jamais réellement totalement en pleine déconnexion émotionnelle que je fais tout ceci. Car tout acte fait, même insensé, prouve par ce non-sens son but, aussi utile soit-il.

Archaïques envies, maintenant dissimulées. Je me vois encore enfant, coupé et torturé, puis finalement réinitialisé. Dans le but de ? Sociabiliser. Dans le but de ? Vivre en communauté. Dans le but de ? S'entraider. Dans le but de ? Rendre plus facile. Dans le but de ? Profiter de manière plus grande, pour le restant de ma vie. Dans le but de ? Vivre mieux.

C'est enfin ce qui devrait se passer dans la théorie.

Mais l'Homme est un être bien cruel, ayant compris ce mécanisme, n'hésitant pas à se jouer de ce modèle pour tenter de bloquer les rouages. Dans le but de ? S'amuser un peu.

Enfantin ? Irresponsable ? Immature ? Il faut de tout, sinon que ferions-nous ?

C'est ainsi que l'on prouve l'importance de la différence.

Amusant pas vrai ?

Chapitre 3

L'or

Mais vivre serait bien plus plaisant sur cette grande pile d'or. Ne me demandez pas pourquoi, mais je me l'imagine ainsi. Malgré sa compacité pouvant être blessante, c'est sûrement sa belle couleur qui me fait l'apprécier. L'or n'a de valeur que de par sa rareté et de celle qu'on lui donne. Il en va de même pour cette œuvre d'art. Le jour où les gens commenceront tous, peu à peu, à se désintéresser de l'Art, il faudra déjà aussi, se demander ce qu'est devenu la Terre, si l'espèce humaine existe bien encore. C'est l'Art qui régit ou plutôt gouverne la vie.

C'est un peu ce cachet rouge mis autrefois sur les lettres pour prouver de sa « pureté ».

L'Homme pur, car artiste. C'est simple, pourtant si complexe. L'Artiste ne sera jamais complètement compris, mais l'Artiste se contentera de s'écouter. Mais il devient plus difficile de se mettre à la place de l'autre. Alors voici enfin venu le temps de la compassion, si j'en suis encore capable moi aussi.

C'est ce cercle vicieux de vengeance qui pousse l'Homme à perpétuer ses mauvais agissements. Ce qui est cruel, c'est qu'il ne pourra jamais s'arrêter.

La cruauté attire la haine et donc le Mal. En raison de sa trop grande répandaison, il est déjà trop tard.

Mais il ne faut pas en vouloir à quelques-unes de ces générations. Cela fait bien longtemps que l'Homme agit par l'égo et par pulsion. Il suffit de remonter quelques dizaines de milliers d'années en arrière, en Afrique par exemple, à l'arrivée des premiers « Hommes ».

Chapitre 4

Le mieux le moins

Il est d'abord devenu à la mode de comprendre de sortir du lot, puis maintenant d'être monsieur tout le monde, avec ces sentiments parfois évidents partagés avec humilité.

Mais comment le charme a-t-il pu se déplacer d'une façon aussi brusque dans le temps ?

Quand se font les grandes séparations et les changements capitaux ? Quand interviennent les Dieux dans ce que je pensais être un long processus ?

Quand avons-nous commencé à sombrer dans un état d'automédiocrité satisfaisante ?

Vous auriez raison disant que je vois les choses, de bien des manières tragiques. Mais, ce n'est pas ce dont à quoi nous serons forcément tous un jour confronté ? C'est en partie pour cela que je vous écris cela. Pour que vous vous en souveniez. Je n'aurais pas la prétention de parler de pense-bête de la vie, mais de légers souffleurs sur les braises encore chaudes. Il est de cette manière bien plus facile pour moi de me prétendre humble.

Mais quel serait l'intérêt pour moi, de vous dévoiler ces détails ?

M'amuser ? Je sais bien que je suis un habituel persifleur, mais c'est sûrement en écrivant que je le suis le moins.

Ou de façon plus dissimulée.

J'essaye peut-être de me jouer de vous avec tous ces mots et de vous faire voyager vers des chemins sans fin, dans le seul but de vous faire penser, vous questionner.

Mais je ne fais pas cela par simple et pur plaisir de sadisme, même si on ne peut me croire sur parole, j'en fais le serment.

Il serait bien plus beau de vous dire que j'écris tout ceci pour vous, que vous puissiez voyager à travers mon monde et celui dont je pense être entouré.

Mais une raison sûrement encore plus profonde me pousse à chaque soir, me retrouver avec moi-même, vous écrire ces quelques lignes.

Elle m'est inconnue, ou du moins pas encore retranscriptible.

Chapitre 5

Instinct

Comme si la bête que nous avions tant éduquée redevenait réellement libre.

Pulsions, sentiments du déjà connu, on se sent emporté dans un grand souffle de flash-back et de ralenti. Parfois, notre regard se fige, ou s'accélère. Nos pensées se déconnectent et notre âme, seule, décide.

L'instinct m'avait rarement trompé, pourtant aujourd'hui, c'est lui m'avait poussé au pire des crimes. Le meurtre. C'est pour cela que j'étais à l'église. Je pensais naïvement que je pouvais devenir quelqu'un de meilleur.

Mais il est bien trop tard pour se rattraper. C'est ce qu'on m'avait tant rabâché sur ce crime.

Alors je me sens seul, terriblement, comme à chaque fois. Mon corps est cette ruine, aux veines aux allures de catacombes par lesquelles de petits globules froids bouillonnent.

Elles tournent en rond dans le noir, s'épuisent, puis un jour se stoppent.

Viens la mort et le moment d'assumer.

Peut-être un Dieu, une autre vie, aucune, une réincarnation.

Mais ces envies partent peu à peu. Comment ? Il m'arrive de la voir encore, elle. Je ne pourrais dire son prénom car je ne le connais point. Non pas que je ne m'y sois jamais intéressé, bien au contraire, mais que je n'ai jamais eu le courage d'aller lui demander. Je m'imagine une réponse venant briser cette barrière, ce quatrième mur.

La peur de passer du spectateur au comédien. J'ai peur qu'elle ne soit qu'une fille un peu spéciale, comme toute. J'ai peur que les regards ne se changent en compassion ou en ceux de l'amour. Qu'est-ce qui pourrait bien m'attirer dans un regard plein de flâne et de vide ?

Je ne pourrais vivre avec la satisfaction de me contenter des regards déjà acquis. C'est le fait d'attirer ces regards qui me fait sûrement vivre.

Puis, si ces regards devenaient différents ?

Que ferais-je ?

Non, je ne dois pas me demander.

Pourtant, quelque chose en moi me pousse.

Mais je sens que l'instinct n'est pas la raison principale de cette demande. C'est une partie différente de moi qui s'active.

J'ai le mot sur le bout de la langue, mais il m'est encore trop difficile de le retranscrire.

Je doute. Ce n'est jamais bon, je le sais.

Je peux vous assurer que je fais tout pour lutter, mais elle me tire les bras. Ce sentiment me contrôle. Il fait bouger mes yeux en les tirant par l'arrière. Pareil pour ces bras, ces jambes, ces pieds.

Que va-t-il advenir de moi ?

Je ne veux pas devenir cette marionnette. Je sais que j'ai toutes les cartes en main pour tout arrêter, mais je ne le peux pas.

— Arrêter, arrêter je ne veux pas !

Mais mes yeux continuaient à la fixer.

— Je vous dis qu'il ne faut pas, je vais finir dévoré !

Mon corps continuait à rougir de l'intérieur.

— Je ne dois pas, que dira-t-on de moi ?

Mes mains tremblaient.

— Et si elle refuse, qu'elle se sent agressée ?

Mon cœur battait.

— Arrêtez de marcher, par pitié, laissez-moi, je ne veux pas !

Mes jambes marchaient seules, je ne pouvais plus reculer, elle me fixait.

— Regardez, ces regards ont changés je vous l'avais dit, tout est perdu.

— Bonjour, je vous ai vu au loin et…

Je n'avais pas pu finir ma phrase.

— Venez danser avec moi.

Je restais sous le choc, elle se levait, puis pris mon bras.

Ce n'était pas aussi terrible. Puis ces regards changeaient, mais je crois qu'ils me plaisent. C'est sûrement ce qui me pousse à continuer à présent.

La voir me regarder différemment des autres.

C'est ce plaisir d'exclusivité qui me poussait sûrement à danser avec elle.

— Je vous avais déjà vu me regarder.

Je ne répondis pas.

— Tout comme moi, vous êtes spécial. Vous n'avez pas besoin de parler, je vous comprendrais.

— Je vous aime. Sans doute, aucun.

Elle me fixait.

— Alors moi aussi.

Mon cœur battait vite. Le prisonnier frappait aux barreaux de sa cage.

Elle m'avait pris la tête, m'avait embrassé. Elle continuait de me serrer de plus en plus fort puis descendait ses mains jusqu'au bas de mon dos.

Elle s'était reculée, puis nous revenions à chaque fois, à ce point de départ.

Chapitre 6

J'écris, quand l'envie me prend. Sans limites.

Mais toujours avec certains blocages.

— Tu n'écriras jamais mieux que ça, tu donnes trop de tes idées, que va-t-il te rester si tu dis tout cela ? Qui continuera à s'intéresser à toi si tu ne fais que pousser des portes déjà ouvertes dans leurs esprits.

Alors c'est pour tuer ce qui a été dit que j'écris aujourd'hui cela. Personne ne voudra plus me lire ?

Tant pis, qu'il en soit ainsi.

Manque d'originalité ?

Tant pis.

Pas assez long ?

Tant pis.

Trop abstrait, pas assez organisé ?

Tant pis.

Encore et encore, tant pis.

Je me fiche complètement de ce qu'on pourra bien dire. Mais je ne suis pas rancunier, du moins pas pour cela.

Ma pensée et mes idées resteront ouvertes à ceux qui veulent essayer de se découvrir un peu plus chaque jour.

Et si je ne fais qu'enfoncer des portes déjà ouvertes dans vos esprits, je soufflerais de mon air sur vos braises ennuyées.

Voici ce que je dirais à mes détracteurs :

— Voilà, exactement. Rien. Dans le but de ?

Rien, encore une fois.

Chapitre 7

C’est un sacré bazar à présent, sûrement dans vos esprits aussi. Vous ne savez pas à quoi vous attendre à chaque début de chapitre.

À vrai dire moi non, plus.

Tout part d’un rien. Comme ce petit amas de poussières sous mon lit ou ce soi-disant Big Bang à la création de tout. Au contact d’une marche un peu trop élancée, l’amas s’envole, puis retourne se cacher.

C’est donc cela, la vie de poussière ?

Elle me rappelle parfois celle de l’Homme sans courage qui tente de se démarquer.

Chapitre 8

Il était un mime, dont j'aurais bien voulu faire un roman tellement ces ambitions de vie pouvaient me faire pleurer.

De ce qu'il avait écrit sur son petit bout de carton au feutre noir, il avait fait cela pour rester muet et n'être qu'un simple « spectateur de cette civilisation perdue ».

J'essayais de rentrer dans son monde et son absurdité, mais je n'y étais jamais totalement arrivé. Il avait un talent, bien plus que certain. Il arrivait à me faire vivre dans un autre Univers ou un simple objet pouvait devenir un si complexe concept. Mais avant de continuer, je dois éclaircir un point. Je vous ai menti tout à l'heure en écrivant que je ne vous donnerais aucun prénom.

Je m'appelle Étoile.

Ce n'est pas le livre d'un auteur un peu dérangé que vous lisez, mais ce qui se rapproche de mon journal intime.

Mais revenons à notre mime. Il était comme on peut aisément se l'imaginer. Il avait le visage peint de blanc et était habillé d'une marinière noire et blanche. Il portait une salopette foncée. Pour tenter d'impressionner, il faisait apparaître une fleur géante de sa manche. Ou il recrachait des dizaines de foulards de sa bouche.

J'étais profondément piqué d'intérêt pour cet homme.

— Bonjour, excusez-moi ?

Il me faisait un grand sourire et tournait sa tête de gauche à droite en agitant rapidement ses mains.

— Pourquoi avoir eu envie de devenir mime ?

Il imitait un ricanement sans bruit. Il enlevait le gant blanc de sa main droite et il pointait le ciel.

Pendant un court instant, il me montrait les nuages. Il baissait son bras puis me pointait du doigt. Il fit plusieurs petites impulsions sur mon cœur et ma tête avant de renfiler son gant. Une larme coula de son œil qui venait en chemin légèrement le démaquiller.

Il venait l'essuyer discrètement. Son jeu

m'apparaissait encore plus puissant. Mais j'aurais peur de me tromper en parlant de jeu. Ce n'est pas vraiment un jeu que d'être mime. C'est plutôt libéré une de ces facettes de nous souhaitant la complexité et la beauté sincères et naturelles des choses, de ce tout. Je suis sûr que cet homme aurait pu se rouler sur le sol et que j'aurais pu y trouver une interprétation très poussée. Cela aurait aussi causé un tournant majeur dans ma vie.

Je ne fais pas trop en disant cela. Voir un homme vouer sa vie à une de ces facettes mérite bien plus que du simple respect. Il a dépassé l'étape de spécialisation de l'Homme nécessaire à son utilité dans la société.

Il est devenu, lui-même, une de ces étapes supérieures.

Chapitre 9

Tempête

Aujourd'hui, il est un jour de tempête bien agité dans mon esprit.

Mes émotions comme à leurs habitudes bien exacerbées contrôlent totalement mes envies ambitieuses. Je suis comme plongé dans une sorte de grand sommeil profond, de paresse, de doute et d'incertitudes.

Et je crois que je serais prêt à aimer n'importe lequel de ses imbéciles qui me diraient simplement bonjour.

Mais je trouve beau le fait de faire ceci : discuter.

Que ce soit de tout point de vue, de tout horizon. J'aime l'absurde et parfois ce sérieux qui découle du fond du cœur. J'aime ses blagues qui pourraient faire rire en larmes et ses discussions avec soi-même, tard le soir.

Je t'aime, c'est ce qui me fait peur.

J'ai la tête chaude et lourde, remplie d'un désir ardent et vengeur envers un Dieu, ayant auparavant, fait souffrir, avant et encore aujourd'hui, avec comme seul but de se satisfaire.

Je pense à l'Homme et à la quête du pouvoir qui l'anime pour l'Union. Qui, au final, divise les Hommes. Que dire de plus, mis à part le brio littéraire de Machiavel sur le sujet. Qu'on soit d'accord avec son constat ou non.

Je pense à l'Homme et à ses bruits très sourds dont il est le créateur. Les mêmes qui pourraient me faire pleurer à cause des ondes trop fortes.

C'est comme si ce fil métallique se pliait sur lui-même à l'infini et venait rentrer dans mon crâne jusqu'à occuper la totalité de ma tête. Je tenterais en vain de me boucher les oreilles, mais l'onde bien trop forte me perforerait les mains, puis les oreilles.

C'est à cet instant que je pleurerais sûrement, ou que je fuirais.

Mais ce n'est pas uniquement ce qui me tracasse en ce si beau jour de pluie.

J'ai récemment pensé au fait de devenir cette petite fée dans les contes.

Celle qu'on désire, par le simple fait de sa beauté et qu'on cherche à tout prix à en connaître les secrets. Le plus beau avec tout cela c'est que bien souvent, le fond émotionnel de cette fée est pur et passionnément ingénu. Cet être ne souffre pas du fait de penser, mais de celui de ne pas directement le faire.

Ce n'est pas la fée qui souffre de ces problèmes. C'est le pirate qui cherche à s'en emparer.

C'est cet « autre » que Jean-Paul-Sartre nous parlait. Ce « loup » pour Thomas Hobbes.

Le plaisir d'être fée n'est peut-être bon que dans la tête du fou.

C'est ce plaisir immodéré pour l'admiration qui me pousse à surestimer la tendance humaine à accepter « l'autre » différent.

Je me suis donc demandé après cela, pourquoi un tel pessimisme face à l'Homme ?

Jean Paul Sartre parlait de « l'autre » comme étant l'enfer, Thomas Hobbes, comme étant un loup.

Il est facile de se dire que nous vivrions mieux sans le regard des autres. Mais quel ennui !

Que diriez-vous plutôt du fait de notre propre tyrannie, de votre esclavagisme volontaire ?

Me croyez-vous, si je vous disais que le regard de l'autre n'est que modificateur de nos comportements, du fait de l'importance qu'on lui accorde. Bon à savoir pas vrai ?

Chapitre 10

Le déluge

Galar descendait la montagne de feu et la lave coulait à flots en sorte de petite pluie sur la ville. Les gens criaient, la foule courrait. Certains agitaient leurs bras, d'autres étaient déjà allongés sur le sol.

— C'est Dieu qui se venge de ce mal qu'on lui a donné ! J'avais prédit son apparition ! Personne n'a voulu me croire !

Un énorme rocher s'envola de la montagne de feu, puis volait dans le ciel.

Elle s'écrasa dans un énorme fracas qui fit trembler le sol de la terre sur plusieurs kilomètres.

— Sisyphe ! J'attendais justement votre arrivée ! J'ai toujours voulu savoir à quoi vous ressembliez !

Jésus leur dit :

« Je voyais Satan tomber du ciel comme un éclair. »

Un rugissement dans le ciel, puis l'éclair s'était abattu sur l'énorme rocher.

La vie s'était achevée. C'était enfin la libération du châtiment de Sisyphe, condamné à pousser cette pierre.

Mais pendant plusieurs années, j'avais contemplé l'œuvre de Sisyphe, qui n'était rien d'autre que mon reflet dans le miroir.

Alors pris de panique, j'éclatais le miroir qui se brisa net en petits fragments dans mon poing ensanglanté.

Je dépliais mon poing. Quelques fragments tombèrent et je repris mon souffle qui s'était coupé.

— Galar.

Serais-je en train de devenir fou ?

— Galar.

Mon imagination me pousserait-elle à ce point à la folie ?

— Galar.

Cela semble pourtant si réel.

— Galar.

— Oui ?

— C'est Dieu qui te parle.

— L'Éternel ?

— Oui. Écoute-moi.

— Vous mentez, jamais ô grand jamais, l'Éternel ne m'accorderait de son temps. Je ne puis vous croire. Je vous demande de sortir de ma tête.

— Tu n'as pas le choix Galar, écoute-moi.

— Pourquoi le ferais-je ?

— Parce que ta vie en dépend.

— Parce que vous pensez sincèrement que je suis attaché à ce que vous avez décidé d'appeler « vie ».

— Je ne parle point de celle-ci Galar. Écoute-moi. Dans un des temps forts de la terre que j'ai moi-même créés, j'ai été dépassé par ma création. L'Homme n'a cessé d'évoluer jusqu'à ce que je puisse intervenir à temps. Pendant quarante jours et quarante nuits, la pluie s'abattra. Alors mourrons, ceux n'ayant pas les conditions pour survivre.

— Encore de la cruauté.

— Il le faut Galar.

— Mais pourquoi cela ? Vous ressentez tant que cela le besoin de régner en maître ? Avez-vous tant besoin que cela que de continuer à faire souffrir l'Homme pour votre simple plaisir ? Et si je vous disais que je ne veux plus faire partie de votre jeu, que me répondriez-vous ?

— Je répondrais que tu n'as pas le choix Galar, que tu te trompes, même lourdement. C'est par peur que je te dis ceci.

— Par peur, vous dîtes ?

— Effectivement.

— Mais comment l'Éternel peut en arriver à avoir peur ?

— Parce que l'Homme est bien trop dangereux et incompréhensible. J'ai décidé de le créer avec une partie d'aléatoire. Pourtant quelque chose de plus profond que l'incompréhension pousse l'Homme à se battre, à se venger, à trahir. C'est cet instinct de survie qui doit être à la cause de toute cette haine et ce Mal. Je pensais avoir bien fait, en exilant Adam et Eve du grand Jardin. Mais je n'ai semé que la souffrance dans leurs esprits chaque jour. Mais le plus terrifiant, c'est que je me suis aujourd'hui rendu compte de quelques facettes de ma personnalité, que je pensais inconcevable.

— Lesquelles ?

— La haine et l'amour.

— Tout comme moi ?

— Tout comme toi.

— Mais alors, vous nous comprenez ?

— Bien sûr et, j'en souffre moi aussi.

— Vous souffrez Dieu ?

— Tout comme toi.

— Vous aimez ?

— Tout comme toi.

— Mais comment tout ceci est-il possible ?

— Car je vous ai créé de mes propres mains.

— Comment ?

— Je suis un Dieu, mais un Homme avant tout. Qui pense comme toi, qui ressent ces émotions dont tu te plains, chaque jour. Quand tu te sens seul, c'est parce que je le suis aussi.

— Cela veut dire que quand je souffre, vous souffrez aussi ?

— Effectivement.

— Mais quand est-il d'autres Hommes ?

— Tout comme toi.

— Mais alors qu'avez-vous à l'intérieur de vous, que ressentez-vous ?

— Tout.

— Dans sa totalité ?

— Dans sa totalité.

— Votre esprit est-il donc neutre, vous sentez-vous vide ?

— C'est ce que je pensais. Mais je crois aujourd'hui que la balance penche du côté de la peur et de la haine.

— Mais, est-ce vous-même qui créez tout ceci, ou vous le ressentez uniquement ? C'est l'Homme qui souffre, puis Dieu. Ou Dieu qui souffre, puis l'Homme ?

— C'est la question à laquelle j'essaye de répondre Galar.

— Mais vous ne pourrez jamais savoir.

— Je le sais.

— Mais que comptez-vous faire à présent ?

— Vous abandonnez.

— Mais pourquoi cette longue pluie alors ?

— Pour que je puisse encore une fois admirer mon échec.

— Mais n'est-ce pas encore vous rajouter de la souffrance ?

— Je le mérite bien.

Alors j'entendais la pluie commencer à couler en petites gouttes, puis les nuages qui commençaient à se rapprocher dans le ciel.

D'un seul flash blanc lumineux, la Terre gronda et la pluie tombait à torrents.

C'est ainsi que pendant quarante, ou sept jours, selon les écrits, plus tard, on voyait cette grande Arche sur l'eau voguer pendant près d'une année.

— C'est alors comme ça que tout ceci recommença ?

— Je crois bien, fils.

— Mais alors que deviendrons-nous sans l'aide de Dieu ?

— C'est plutôt à lui qu'il faudrait penser.

C'est d'ailleurs de cette façon que nous avons compris que c'était Dieu qui dépendait des Hommes.

Chapitre 11

Océan

La mystérieuse cité d'Arquantia existait donc bel et bien.

À vingt mille lieues sous les mers, en dessous de la grande tour, on pouvait voir les eaux se troubler et se mêler de courant différent.

Mais je ne le savais pas.

Je profitais de la mer agitée en surfant sur certaines de ces ondes qu'elle m'envoyait.

C'était pour elle le moyen de me communiquer sa détresse. Alors j'essayais de m'allonger certaines fois sur le dos, les poumons remplis d'air et de simplement écouter ce qu'elle avait me dire.

Mes poumons entièrement gonflés, je flottais sur l'immense étendue d'eau.

Soudain, la mer me parlait.

Je descendais mes yeux du ciel.

L'horizon semblait dessiner en son plus lointain observable, une ligne qui peu à peu se rapprochait du ciel.

Un tsunami.

— C'est donc ce que je mérite ?

Je voyais la vague s'agrandir.

— Mais pourquoi, parlez-moi !

La vague commençait légèrement à soulever mon corps encore flottant.

— Dois-je mourir, pour le simple fait d'avoir eu la stupidité de continuer de vivre ?

Alors la mer me répondit :

« Non, tu me chatouilles, tout simplement. »

Alors la vague écrasait d'une pression de plusieurs tonnes mon corps qui s'engourdit, puis s'éteignit presque instantanément.

Tout ne serait donc pas aussi complexe que je l'imaginais ?

Pourtant…

Aujourd'hui, la Mer m'a parlé.

Chapitre 12

Docteur

— Bonjour Étoile, je suis docteur Warren, enchanté de pouvoir faire ta connaissance. Tu peux me tutoyer.

— Bonjour.

— Alors, j'ai décidé de te faire venir ici, parce que ton cas m'interroge tout particulièrement. J'ai lu personnellement certains de tes écrits et j'ai été impressionné. Je voulais savoir comment toutes ces prédictions que tu écris te viennent ?

— Comme cela, de temps à autre. Quand le sommeil m'empare ou que je suis enjoué.

— Ne penses-tu pas qu'il est dangereux de laisser son instinct envahir son âme ?

— Il faut bien trouver une occupation en ce monde d'ennui, non ?

— Étoile, parle-moi clairement de ce que tu ressens.

— Je ressens de la joie, de la peur, de la folie, de l'empathie. Tout comme vous, à vrai dire.

— Non, je veux que ce soit votre instinct qui me parle, Étoile. Laissez-le vous envahir un instant.

— Très bien, alors nous aurons bientôt la confirmation de savoir si Atochi a été une des plus grandes personnalités de ce monde.

— Satochi ?

— Oui, il fera parler, de plus en plus, vous verrez.

— Et que dit votre instinct sur cette prédiction alors ?

— Que l'Homme, ou plutôt la connaissance de soi disparaîtra peu à peu. Que l'Homme sombrera, ou plutôt rayonnera d'une façon autre que celle que nous connaissons actuellement. Tout sera de plus en plus fait par de petits humains faits de métal. L'Homme pourra en plus de cela, satisfaire sa soif de domination, celle dont parlait d'ailleurs Machiavel.

— Tu parles des robots ?

— Appelez cela comme vous voulez, mais vous aussi vous comprendrez petit à petit.

— Et comment devrais-je réagir à tout ceci alors ? Quels sont les bons comportements à avoir ?

— Il n'y en a pas.

— Comment cela ?

— Parce que vous ne pourrez rien y faire, ou seulement si vous accepter de mourir. Et encore, cet acte n'affectera pas le reste du groupe. Car sans méchanceté, votre influence est modeste.

— Je comprends ce que tu veux me dire. Alors je devrais avoir peur ?

— Oui.

— Et que pourrait encore bien vous dire votre instinct ?

— Il pourrait me dire que vos yeux sont bleues, mais seulement pour un temps docteur. Je tiens entre mes mains la clé pour les faire changer de couleur.

— Que veux-tu dire par là ?

Je sortais de ma poche une grande lame de verre, puis transperçais la gorge du docteur.

Le sang coulait à flots et ces cordes vocales après un léger souffle s'étaient arrêtées de vibrer net.

Son corps était tombé en bûche sur le sol. Après que sa mâchoire se soit écrasée contre le parquet, une de ces dents s'était mise à sautiller jusqu'au coin de la pièce.

— Si vous saviez la souffrance que je vous épargne docteur…

Chapitre 13

Justice

C'est sûrement la question que je me poserais toute ma vie, tout comme ce petit caméléon oscarisé qui a su devenir, qui il voulait être :

Qui suis-je ?

Devant cette grande instance, devant tous ces gens qui me huent ou me dévisagent ? Qui suis-je ?

Aux yeux de « l'autre ».

Qui suis-je ?

Quand je pense ou quand je prie.

Vais-je perdurer dans un vaste espace ?

Je devrais bientôt avoir des réponses à ces questions.

— Étoile, le Grand Tribunal a décidé. Vous êtes condamné à la peine de mort. Vous arriverez cet après-midi à la cage finale, votre ultime prison. Vous serez enfermé avec un lion. Le tuer sera votre seule chance de survie. Un conseil, éviter de vous débattre.

D'un rire diabolique, la séance avait été levée. La foule qui me huait, se taisait à présent et partait en fumée. Les juges quant à eux aussi, disparaissaient.

C'était donc comme cela que mon dernier châtiment avait été prononcé ?

Dans une sorte de brouillard épais qui peu à peu devient de plus en plus compact.

J'ai peur, sûrement pour la dernière fois de ma vie.

Deux gardes armés me traînaient par les bras jusqu'à la cage du lion.

Je ne me débattais pas.

J'avais le regard creux et vide, fixé sur un horizon qui ne pouvait être autre, qu'un mur gris fait de béton armé.

— Qu'on ouvre les portes de l'Arène !

Chapitre 14

L'arène

Les portes de l'arène s'ouvraient.

C'était une arène aux allures romaines, grande et ronde. Le lion était là, lui aussi.

Il tournait en rond dans l'arène et s'était retourné quand la grande porte s'était ouverte.

Il grognait et je l'entendais déjà au loin s'approcher pas à pas.

— Refermez les portes !

J'étais maintenant emprisonné avec le lion et cette foule, toujours aussi grande criait.

— Tu vas crever !

— Vas-y ! Bouffe-le !

Le lion doré s'approchait, agitant sa crinière de droite à gauche. J'entendais sa respiration, puis ses vibrations.

Le lion avait fait un rugissement tel que pris de peur, le sol sableux me fit glisser. J'étais collé au mur, assis par terre. La tête posée contre le mur.

Je voyais le lion s'arrêter, puis fixer son regard sur moi.

Le lion s'apprêtait et maintenant commençait sa course.

Ma respiration s'était coupée et j'entendais le bruit de ces pas se rapprocher de moi.

Une partie de moi-même aurait voulu que je me relève pour en finir avec ce lion.

Mais l'autre partie voudrait que tout se finisse maintenant, que je ne puisse pas avoir le temps de connaître cette souffrance. Mais je vais avoir l'honneur de pouvoir ressentir à son degré le plus haut, ce désir de survie chez l'animal.

Le sable se levait en un épais nuage, derrière la course du lion.

Je voyais l'animal commencer à prendre appui sur ses jambes et à sauter.

D'un bond immense il se trouvait au-dessus de moi. Je le voyais sortir les griffes de sa patte.

D'un seul coup, il m'avait arraché le visage et ma tête roulait sur plusieurs mètres.

Du peu que mon cerveau avait encore eu le temps de me transmettre, le lion s'acharnait sur ma carcasse.

Il déchirait mes habits et m'avait ouvert le ventre en deux.

Chapitre 15

Mon âme errait dans un vaste espace noir et chaud, sûrement dans l'attente d'un jugement.

« Dieu est mort ! » qu'il nous disait.

Alors je me sentais pris de remous intérieur et mon âme montait peu à peu. Ou cela ? Je n'en sais rien. Mais le point blanc qui se situait au-dessus de ma tête grandissait.

Alors vient finalement le moment du blanc total, quand le point une fois rapproché à son maximum fit éclater la bulle qui me plongea dans un autre Univers.

Je vis Dieu, pour la première fois.

Mort, d'un pieu enfoncé dans le cœur.

Je ne pourrais vous le décrire de peur de vous brusquer. Mais il n'y avait aucun sang.

Satan maître

Satan est désormais maître de ce qui semble être le Paradis et des Enfers.

Le plus étrange c'est que ce nouveau monde ressemble bien trop étrangement à celui dont nous avons déjà l'habitude de vivre. Comme si le mélange des Enfers et du Paradis était mon passé, que je vivais encore à présent.

Suis-je condamné à vivre ceux-ci indéfiniment ? Et je ne puis me lasser, puisque visiblement c'est ne pas la première fois que je vis cela.

Mais si je me suicide alors, qu'adviendra-t-il de moi ? Je réapparaîtrai, comme par magie ?

Ce n'est à plus rien n'y comprendre.

Je vis, je meurs, je m'élève, puis je revis ?

Pour re-mourir et re-m'élever ?

Bien triste est notre vie si elle est ainsi.

— Bonjour Étoile, tu vas bien, tu sembles ailleurs ?

— Oui désolé.

Mais où suis-je ?

Je connais déjà cette conversation, j'en suis certain.

Chapitre 16

Les moments défilaient, la nostalgie suivait son cours. Je me souvenais de ses conversations passées.

Avec le sans-abri

— Dans ce monde, tu sais, si t'es moche, t'as intérêt à être intelligent. Si t'es pas intelligent, tu dois être courageux, sinon t'es dans la merde. Faut que ta gueule plaise, ou que t'es le mental solide. On essayera de t'écraser, de se servir de toi. Dans ce monde de rapace t'es qu'une chienne parmi les chiennes. Me regarde pas avec ce regard d'incompréhension. Tu comprends très bien ce que je veux te dire, d'ailleurs, ça te rappelle certains souvenirs même, pas vrai ? Si tu me regardes aujourd'hui de haut, c'est uniquement parce que j'ai refusé de faire partie de ce système de tortionnaire.

Avec le croyant

Dieu te délivrera bientôt, ne t'inquiète pas, je vois bien toute cette souffrance dans tes yeux, ce n'est qu'une question de temps. Puis tu parlais de désir et de Dieu. Mais ce n'est pas uniquement par désir que Dieu nous a créés.

Dieu a créé ce monde et si tu n'acceptes pas cela, à qui croiras-tu alors ? Au fond de toi, tu sais que Dieu est le créateur. Et ne me parle pas non plus d'infinité, accepte simplement le fait que Dieu a créé ce monde avec tout ce qu'il contient. Tout ce qui précède dépasse de bien trop loin le commun des mortels pour qu'on puisse essayer de le comprendre. C'est uniquement par ego que tu refuses de croire en notre Créateur. Mais bientôt, tu comprendras, je l'espère. Et tu auras enfin le cœur et l'esprit tranquille, mon frère.

Avec ma grand-mère

Tu as toujours été un garçon brillant, Étoile, ne te pose pas ce genre de questions. Crois-en mon expérience, rien n'a réellement de sens. Tu dois accepter le fait que tu mourras dans l'incertitude et la crainte. C'est le seul réel moyen de résister à la trop forte pression au quotidien. Malgré le fait que cela ne sert peut-être à rien, vis et ne t'arrête jamais de vivre.

Ne te demande plus pourquoi tu le fais, mais fais-le. Parle moins et écoute plus autour de toi, essaye de comprendre les autres, parle avec eux. Tu verras que les Hommes ne sont pas aussi différents que tu puisses le penser.

Avec la psychologue

Je pense que vous avez un problème qui vous démange, Étoile. Vous avez besoin de savoir, à n'importe quel prix. Vous devriez parfois, acceptez le fait que vous soyez dépassé. À ce rythme-là, j'ai peur de votre avenir. Ne vous rongez plus l'esprit, contentez-vous de vivre bonnement. Si un jour vous sentez que vous n'avez plus le courage, revenez me voir, je serais ici pour vous guider.

Avec la voyante

C'est bien la première fois que cela m'arrive, mais je ne décèle rien en vous, Étoile.

Il ne m'est jamais arrivé de rencontrer une telle chose auparavant. D'habitude, les cœurs et les esprits m'accueillent à bras ouverts pour que je puisse les écouter. Mais il semblerait que les vôtres refusent toute communication. Tout ceci est bien étrange et la seule chose que je puisse voir en vous, c'est une sorte de grand Océan.

Chapitre 17

L'Océan

J'étais sur un de ces grands paquebots de croisière. J'adorais, l'eau, comme berceuse du soir. Le ciel tricolore et ces reflets sur l'Océan.

Je voyais pendant la nuit, à travers cette petite vitre ronde, la mousse blanche des vagues scintiller.

Le bateau tanguait légèrement, et lors de concentration un peu trop aiguë, mon corps vacillait.

Je voyais les visages qui se dessinaient sur l'eau et s'effaçaient aux courants de l'eau. Le reflet du soleil contre la mer qui claque, comme de petits pétards en explosion lumineuse.

Puis en arrivant, j'étais allongé sur le sable, la tête face à la grandeur du soleil. Je fermais les yeux avec force et en descendant dans l'écran orangé que celui-ci me figeait, je voyais un parfait vide blanc.

Alors je la voyais, elle, danser sur le grand espace. Puis le choc d'une des vagues contre la rive me fit revenir à cet écran orangé et jaune de douleur oculaire.

Alors pour essayer de la revoir un instant, je fermais les yeux avec la même force que tout à l'heure en essayant de descendre jusqu'au blanc.

Plus rien.

Elle était partie. En l'espace de quatre secondes, elle avait apparu, puis disparut.

Je frappais le sable avec ce sentiment d'humiliation.

Étais-je aussi faible que cela ?

M'adonner au plaisir de la voir sans son consentement ?

Ne caresse pas là ma plus grande crainte après tout ?

La voir disparaître à tout jamais. Que cette raison qui me pousse à continuer cette aventure folle et sans but, s'arrête à tout jamais. Ou peut-être juste le temps d'une de ces nouvelles aventures.

Mais en attendant ce jour, je regarde de la petite fenêtre de ma cabine, l'eau paisible, s'engloutir sous la course du bateau.

Il m'est arrivé d'apercevoir un navire lointain, une terre lointaine, et même un de ces poissons froids de l'Atlantique.

Puis lors d'un de ces longs périples, j'avais vu un magnifique poisson, avec un immense bec bondir et replonger dans l'eau. Un espadon à la crête violette et aux reflets bleu turquoise. Il agitait sa queue en l'air puis son bec, restait en suspens dans les airs, puis d'un vif coup de tête, redressait son corps pour replonger dans l'océan.

Il était sans aucun doute et encore aujourd'hui, le plus beau des poissons que j'ai pu voir jusqu'à présent.

Mais en dessous de mon bateau se trouvait bien plus qu'un charmant espadon.

Il se trouvait aussi les fonds marins, aussi vaste qu'effrayant. Aux allures de simples éléments largement répandus résidait un véritable monde.

Tout autre et bien différent de celui que nous connaissons.

À six mille mètres sous la coque de mon bateau se trouvait la zone Hadale.

Un grand espace, cette fois-ci noir, du plus total. Aucun rayon lumineux n'avait su pénétrer cette profondeur et seules quelques personnes avaient eu la chance de pouvoir s'y aventurer.

Mais vous pouvez déjà oublier cet espadon, qui lui se trouve bien plus haut que nous.

Imaginez plutôt ces poissons aux têtes atroces. Vous pouvez aussi imaginer ces poissons avec leurs petites lanternes sur la tête et leurs dents longues et fines.

Hiver et nuit sans fin, aucune lumière.

Pas de place pour le sage qui réside plus haut. Même l'orque pourtant massif et puissant ne saurait pas résister aussi bas.

La pression y est d'ailleurs tellement forte pour l'Homme qu'elle vous y ferait sauter la tête.

À défaut d'avoir la chance de voir de mes propres yeux se noir et ces étranges spécimens, je les imagine. Il me suffit de fermer les yeux et de voir cette lanterne et ce petit corps scarifié aux écailles dures se mouvoir.

Mais toutes les descriptions du monde ne pourraient pas décrire la peur que j'ai face à ces Océans.

Bien plus que dans l'espace et le vide qui sépare les planètes.

C'est Dieu qui aurait lui-même combattu dans l'océan, le Chaos, le *Léviathan.*

Chapitre 18

Sur la petite fenêtre de l'avion, une goutte d'eau partait en furie.

Finalement à son apogée, la machine se retrouvait en haut, dans ce royaume crème et montagneux. Comme si le monde d'en haut était recouvert de neige.

Le ciel y est aussi bleu et les étoiles y sont visibles la nuit.

J'étais assis à côté d'un homme de 30 ans de plus, avec une patience et une sagesse qui force le respect, je me tus.

La machine volante se secoua violemment en sortant du royaume et la vie semblait à nouveau se dessiner.

Mais tout est si beau là-haut, le but qui m'y emmène aussi d'ailleurs. Mais il est temps d'atterrir. Sans avoir vraiment bien compris, la machine se secoua une dernière fois, puis se stoppa sur la grande piste après un crissement de pneu.

Après l'atterrissage venait la longue attente post-décollage pour sortir de la machine et récupérer ses bagages. Alors dans un focus d'esprit et après un brouillard noir intérieur, je me souvenais.

De cette ombre animée projetée sur le mur par les phares aux éclats jaunis de cette vieille voiture. Je revois mes jambes bouger sur la façade et la ville se créer sous mes yeux. Puis la voiture passée, le vide. La ville s'était refermée sur elle-même et tous les habitants avaient fui les lieux. Laissant sur leur passage, une trace amère d'un vague souvenir passé.

Mais d'une façon ou d'une autre, j'aurais besoin de relâcher l'encre de ma vieille épave dans la mer. Avec comme seul souhait qu'elle se brise et que je finisse bousculé et guidé à tout jamais à travers les flots de l'océan.

Mais il sera sûrement bien dur de repasser le film de sa vie, avant de mourir de soif et d'épuisement par manque de courage pour la noyade. Alors la longue agonie m'amènera sûrement à la conclusion que l'Homme parvient mieux au Mal qu'au Bien. Elle me permettra aussi sûrement de me souvenir d'Elle. De ce moment passé à pleurer sur son épaule.

À essuyer mes larmes dans sa veste ressemblant étrangement à un k-way.

La danseuse que je voyais autrefois tournoyer était enfin dans mes bras. Sous ce beau kiosque éclairé par les lumières de Noël, elle m'avait embrassé, puis consolé. C'est dans ces doux bras habillés de la fine couche de sa veste que je la prenais dans mes bras. Ou qu'elle me prenait plutôt dans les siens.

Puis dans une de ces pensées volatiles, je me souvenais du poison d'amour qu'elle avait glissé dans mon verre. Celui dont j'avais fait mine de ne rien voir. C'est avec joie que je prends aujourd'hui son amour et qu'elle prend le mien.

Chapitre 19

Quand je disais que l'Homme parvenait plus au Mal qu'au Bien, j'ai tout de suite pensé à Machiavel. Celui qui acceptait la condition biologique de l'égoïsme chez l'Homme, dans un but politique de conservation et d'accroissement du pouvoir. Il a été un secrétaire, un ambassadeur, torturé et sûrement après cela vengeur, on pourrait justifier l'écriture de son ouvrage « Le Prince » de cette manière : Visant à dévoiler au grand jour, dans un acte vengeur.

Permettez-moi de douter quand même, de son soi-disant patriotisme. Mais le point où nous pouvons facilement nous mettre d'accord sur son ouvrage, c'est sur la méchanceté et l'égoïsme de l'Homme. Mais donc à quoi bon lui donner ouvertement les clés pour faire partie de ce jeu de puissance ? Pensait-il que l'Homme en avait besoin pour faire face aux dirigeants ? Voulait-il aider le peuple ? Voulait-il vraiment aider le dirigeant, en particulier le sien, pour rassembler l'actuelle Italie autrefois morcelée ?

Nous ne pouvons que supposer. Mais ce qui est sûr, c'est que tout ceci n'énonce rien de très bon concernant le futur et la personnalité ego-centré de l'Homme. Elle le poussera de plus en plus à jouer de malices et de vices pour atteindre.

Mais jamais rassasié de réponses concernant le but profond de son livre, je pourrais en arriver à la conclusion que Machiavel prévoyait ces questionnements. Que pour y répondre, il se contenterait, de façon intelligente et presque machiavélique, de nous dire que l'œuvre, et le sens qu'on lui attribue, n'est que la projection de la réalité que nous nous faisons. Ainsi que de la propre confiance que nous donnons à nous-mêmes et à l'Homme.

Mais il ne faut pas se perdre dans tant de mots. Il nous reste tellement de chemin à parcourir. Si vous saviez, si seulement, à quel point tout cela ne faisait que commencer. Vous trouverez encore bien plus complexe la vie, qu'elle ne l'est déjà pour vous.

Chapitre 20

Mais avant de vous embarquer dans l'Ultime spirale qu'est ce grand « désespoir », j'aimerais vous parler de cet instant que j'ai vécu à deux doigts de la mort. Sous la mer au niveau des dernières lueurs, aux profonds abysses, un poisson-ogre me frôla la tête. Mais le danger était autre que je le pensais. Entre les remous de l'eau imperceptible et la pression qui m'aurait fait sauter la tête sans protection, je voyais briller. Au fond de l'eau, dans ce qui semblait être une paroi, une source lumineuse. Comme de l'or, mais parfaitement sphérique. Alors je nageais dans sa direction et le rayon, de plus en plus, me brûlait les yeux. Alors à l'instant où j'essayai de poser ma main sur l'étrange sphère, son éclat disparut soudainement. L'eau redevenue parfaitement noire, je pouvais enfin me contempler intérieurement. Entre frisson et peur, cette longue introspection me fit pleurer à cause des trop fortes émotions. Mais l'eau n'était pas encore totalement noire. Je voyais entre quelques rochers, ce qui semblait être à nouveau un éclat. Alors en nageant vers sa direction, je comprenais que l'éclat était en fait un morceau d'un miroir. Je le prenais dans ma main et je sentais son tranchant. Je le frottais contre le mur, de son côté le plus aiguisé et j'entendais la pierre hurler de douleur dans un couinement aigu. J'arrêtais un instant, et l'eau entière commençait à se mouvoir. Alors je voyais dans l'ombre impénétrable des abysses, deux énormes yeux commençant à s'ouvrir. Un monstre immense résidait dans ces profondeurs. Il avait une mâchoire gigantesque et une allure de reptile. Son corps tout écailleux aurait pu faire penser à une côte rocheuse, ou du moins son côté dissimulé dans l'eau.

On pouvait difficilement l'apercevoir sur sa peau, ce qui ressemblait à de la mousse.

Le monstre grognait et deux autres yeux surgissaient dans le noir de l'eau. Alors bientôt quatre et maintenant six yeux s'ouvraient devant moi. Trois paires d'yeux commençaient à former une tête. À ma gauche, à ma droite et à présent au-dessus de moi, les yeux filaient à toute allure et je voyais les visages commencer à se dessiner.

Le vieux Reck m'avait parlé autrefois de ces apparitions. Il m'avait confié que tout ceci n'était que des hallucinations dues à la pression, la température et le stress.

Alors à nouveau cet écran blanc apparu, puis cette danseuse.

— Étoile ? Étoile ? Étoile ? me dit-elle d'une voix douce.

— Je suis là, tends-moi la main.

— Merci, maintenant tends-moi l'autre.

— Bien, maintenant suis-moi.

Alors j'avais à peine eu le temps de comprendre ce qu'il se passait que nous nous retrouvions à courir dans un grand champ plein de fleurs. Les hautes herbes me chatouillaient les jambes. Et cette danseuse à la robe bleue collante était à présent en train de parer les herbes avec son avant-bras.

À toute vitesse, nous filions entre les arbres et la végétation. Puis la danseuse trébucha. Mon corps lourd était tombé sur elle et nos deux corps étaient maintenant proches et nos âmes liées. C'est à cet instant que je me suis perdu dans son regard pour la première fois, et que sur ce long drap de fleurs, je suis tombé amoureux d'Elle. Mais dans mon plus grand désespoir, à l'heure du baiser final, la mort me tira par les pieds de toutes ces forces et m'attira à nouveau dans les profondeurs de l'Océan.

Chapitre 21

— Tu t'en sortiras pas comme ça mon gars. Tu crois qu'on échappe si facilement à soi-même ? Tu te trompes lourdement en pensant que t'es à l'abri. T'as toujours pas compris que quand tu es heureux, c'est là que t'es le plus à découvert. Protège tes côtes et occupe-toi bien de toi-même pour commencer. Avant de t'intéresser aux désirs des autres, apprends à vivre avec les tiens et à les satisfaire. Tu verras que tu auras déjà de quoi bien occuper toute une vie.

— Mais déjà, ou suis-je ?

— Monde : Terre, Vie : n° 112

— 112 ?

— Oui, c'est le nombre de chances que t'a déjà laissé Dieu pour que tu essayes de comprendre qui tu es vraiment.

— Comment se fait-il que je n'y sois alors encore jamais arrivé ?

— Car il est bien dur de se connaître, Étoile. Encore bien plus que de connaître par cœur la Bible.

Encore sûrement bien plus que de voir toute la misère du monde et la cruauté de l'Homme en une seule seconde.

— Mais, ai-je une chance alors d'un jour réussir ?

— À vrai dire je n'en sais rien, je rôde ici depuis près d'un million de vies et je n'ai jamais vu personne réussir cet exploit.

— Alors, à quoi bon continuer à vivre ?

— Car maintenant tu n'as plus le choix et tu la bien compris. Tu sais maintenant que tu vivras éternellement. Tu préfères sérieusement tout recommencer ? Ou tu préfères rester conscient de cela et apprendre à te connaître ?

— Je n'en sais rien, je veux tout arrêter ! Par pitié, tuez-moi, je ne veux plus jouer !

— Tu pourras crier autant que tu voudras, personne ne viendra te chercher ici.

— Et si je me suicide ? Que se passera-t-il ?

— Il est impossible de se suicider ici.

— Alors comment ai-je eu d'autres vies ?

— Car un Dieu en a décidé.

— Mais je suis sûr qu'il est possible de mourir ici.

— Tu te trompes.

— Regarde, je vais me frapper la tête contre le sol et il s'ouvrira en deux.

— Alors je prenais de l'élan et au moment de l'impact, ma tête traversa le sol qui me plongea dans l'autre dimension.

— Tu me vois, Étoile ?

— Oui ! Les couleurs ont changé !

— Elles sont inversées ?

— Oui !

— Alors tu es passé de l'autre côté.

— De l'autre côté ?

— Oui.

— Et à quoi cela sert-il ?

— À rien. Tu as perdu ton temps, enfin tu as plutôt malmené ton cœur qui pensait s'être évadé de cette cage. Mais il faudra bien plus d'effort que tu ne le crois pour s'extirper.

Car tout est rarement si simple. Tu finiras forcément par souffrir de ce trop-plein de complexité. Ou du fait d'en voir partout. Contente-toi de vivre sans questionnements, ça vaut mieux.

Chapitre 22

Au fond de l'Océan, je voyais à nouveau cette lueur briller. « Encore ? » me diriez-vous.

Encore.

Plus fort que d'habitude d'ailleurs. Je voyais parfaitement chaque relief, chaque poisson qui nageait. Chaque micro-particule flottante dans l'eau ou chaque lueur du soleil. L'eau et plus précisément l'Océan m'apparaissaient complètement visibles, comme si l'eau n'existait pas.

Le temps d'un instant, je pouvais tout voir. C'était merveilleux. Vous auriez dû me voir à assez d'attraper un poisson. Je n'y parvenais jamais et il réussissait toujours à me filer entre les doigts. À une vitesse folle je vis d'ailleurs, un poisson voilier. Il avait un corps assez long et plutôt fin. Sa tête finissait avec la forme d'une aiguille et sa crête bleu turquoise le rendait dans l'eau, incroyablement agile. Il avait un corps argenté et ses yeux de chaque côté de sa tête, restait fixé à leur objectif.

On pourrait aisément y reconnaître l'Homme dans ces folies, ou encore cet artiste en plein accomplissement. C'est un peu le moment où Jonas, cet artiste peintre, s'exclut de sa famille pour peindre.

Dans quelque chose d'aussi personnel que l'Art, je pense que le marketing a plus d'impact sur le prix, que sa réelle beauté ou complexité. C'est pour cela qu'un gribouillon d'un célèbre pourra valoir des millions. Alors qu'une œuvre parfaitement ficelée ne pourrait même pas apporter de quoi nourrir. C'est un peu la même chose avec les livres si vous voulez. N'importe quel texte d'un réputé « génie » le sera si on pense que cela vient de lui. En revanche, prenez un texte un peu loufoque d'un inconnu. Vous pourriez facilement en conclure que rien n'a de sens, qu'on tente de vous escroquer. Que l'auteur se joue de vous dans le seul but de vous rendre fou, un peu plus à chaque instant.

C'est d'ailleurs pour cette raison sûrement qu'on dit qu'il ne faut pas juger un livre à sa couverture. Car on y voit aussi le nom de son auteur. On aura tendance à surinterpréter le reconnu, et à sous-interpréter l'inconnu. Il est triste de se savoir plein de bonnes idées, mais de n'en être jamais reconnu.

C'est un peu comme cette période sombre de l'adolescence ou on se sent énormément en décalage avec « l'autre ». Peut-être que l'enfer ne se trouvera pas dans l'autre, mais dans l'interprétation que nous,

nous faisons de l'autre. Pour vivre heureux, il faudrait alors se balader dans les rues, flâner, siffloter sans se soucier. Au gré du temps, du vent, il faudra s'adapter et parfaitement tout accepter comme étant une fatalité. C'est une sorte de niveau Ultime du stoïcisme. Mais attention, le but n'est pas de n'avoir aucune émotion. Mais plutôt de les accepter parfaitement et d'apprendre à vivre avec elles.

Mais je pense que tout ceci reste trop idéaliste.

l'Homme est incapable de vivre avec lui-même. Il sera toujours amené à se brider, même inconsciemment pour son propre bien. Car ses envies pulsionnelles et émotionnelles ne sont pas toujours bonnes pour son hôte. Au point qu'elles préviennent du danger. Mais déjà, qu'est-ce qui est réellement bon pour soi ?

l'Homme est en danger quand il devient lui-même. Car l'Homme est un profond égoïste, toujours à la recherche de réponses à des questions sans but et sans fin. L'Homme se questionne, c'est bien, et maintenant ?

L'Homme est altruiste, mais par envie, par désir, de se dire qu'il a fait une bonne action. Il le fait sûrement pour essayer d'apaiser ces maux ou compenser ces mauvaises actions.

L'Homme depuis toujours a fait l'erreur de croire qu'il pouvait vivre libre. Voilà une de nos plus grandes fautes.

Encore pire que celle de survivre sans la connaissance de ses questionnements.

Car celui qui sait et qui vit, n'est rien d'autre qu'un arrogant ou qu'un incapable.

Si vous saviez à quel point le courage et la force me manquent pour en finir. Au fond, on pourra dire ce qu'on voudra, mais la vie est sûrement belle, vu qu'on s'y accroche.

Et de toute façon, je refuse de croire que nous vivons sans aucune raison. Il y a toujours une raison qui nous pousse à vivre. Que ce soient ces questionnements ou l'ennui. On vit et on se lève chaque matin pour une bonne raison.

L'Homme juge. C'est d'ailleurs sûrement ce que fait l'Homme depuis la nuit des temps pour apprendre. Que ce soit par l'essai ou l'écoute, l'Homme juge, tous les jours et même plusieurs fois. Que ce soit au moment de faire le choix de se lever, mais aussi au moment du choix de ses vêtements pour aller travailler. Car on pourra toujours essayer de vivre de nuance, il faudra parfois savoir trancher. Même à contrecœur pour continuer à vivre et avoir la chance de faire face à d'autres de ces choix. La vie étant de nous donner le plus de moyens pour réussir, afin que nos choix ressemblent le moins possible à des dilemmes.

Chapitre 23

Aujourd'hui, j'ai perdu deux amis, du moins si j'en crois mon cœur.

Ce changement drastique m'a fait me remettre en question sur ma propre personnalité et son évolution. Puis j'ai commencé à me marteler de questionnements. Puis finalement bousillé, j'ai préféré arrêter de me questionner. J'ai continué le lendemain et encore le surlendemain à me lever. Alors je me disais à moi-même.

« Étoile, si tu acceptes de te lever chaque matin. C'est que tu acceptes le jeu de la vie dans son entièreté. Tu as souvent pensé et peut-être à juste titre que ton existence ne servait à rien. Alors si en connaissance de cause, tu acceptes de continuer à vivre, tu dois en assumer les conséquences. »

Alors depuis ce jour-là, encore plus motivé que jamais, j'étais prêt à devenir qui je devais être. À devenir le vrai moi-même que décrivait Nietzsche.

J'ai commencé à me dire petit à petit que la vie avait bel et bien un sens, celui que je lui donnais.

Petit à petit, ma vision a commencé à changer sur le monde. Je me suis vu plus d'une fois remercier d'un sourire amical et d'un « bon courage » la caissière au supermarché. Je me suis aussi revu dire à cet homme à quel point son chapeau lui allait bien. Son sourire sur ses lèvres et son doux regard avant de me remercier.

J'ai finalement pris goût à ce luxe, qui est de pouvoir aimer l'autre.

Je me suis donc levé et encore chaque matin dans le but de rendre mes jours un peu plus gais et meilleurs. J'ai dû faire face aux pleurs, parfois aussi à la mort. Mais j'ai toujours su rester le visage en l'air, bien fière en toutes situations. Parfois, on me bousculait déraisonnablement, sans même parfois recevoir d'excuses. Mais cela n'avait aucune importance. J'étais un autre homme, heureux et plein de joie. Le soleil depuis ce jour n'avait cessé de briller dans le ciel. Pas une fois, j'avais vu un nuage cacher le soleil ou faire couler ses larmes. Pas une fois la température avait été trop froide. Ni même trop chaude. Les arbres étaient fleuris pour la plupart et le vent ne soufflait que très rarement.

Puis comme par un hasard enchanteur, je voyais la ville belle, propre. Ainsi que de plus en plus de visages souriants. Le temps était bon, les gens heureux. Le seul oiseau qui avait passé au-dessus de ma tête aujourd'hui sifflotait pendant son vol.

Le grand ciel autrefois effrayant m'apparaissait comme une immense couverture et je m'endormais chaque soir en le remerciant.

Ô grand jamais, je n'aurais pensé le dire un jour, mais je suis heureux de vivre à présent. Depuis que j'ai fait la connaissance de ce qui semble être le bonheur, je refuse de m'en détacher. Car le bonheur est à présent ma raison de vivre, ma raison d'exister.

Si un jour je me perds dans les émotions et que je rechute, ce sera bien la dernière fois que vous me verrez écrire.

Je suis donc heureux de pouvoir vous dire aujourd'hui : « je vais bien ! »

Sans ironie, même si cela est bien dur à croire. Il suffit de regarder :

— Les morts chaque jour à cause de la pollution.

— L'hiver froid qui s'approche à grands pas et le serpent qui rôde dans le buisson prêt à jaillir.

— Les chiens abandonnés sur le bord de la route et ce hérisson écrasé et réduit en bouillie.

— Ce sans-abri qui vole pour survivre.

Mais pour se rendre compte aussi de la beauté de la vie, il n'y a qu'à voir tous ces gens qui se bousculent et se tuent. Il n'y a qu'à voir aussi, cet enfant qui pleure à cause du harcèlement qu'il subit.

De l'absence totale de suivi et de soutien psychologique.

Il sera finalement retrouvé mort, sous la fenêtre de son appartement, huit fenêtres plus bas.

Quel triste sort, pour une si belle vie !

Chapitre 24

Mais assez joué avec l'ironie. La vie reste malgré tout belle et vous savez pourquoi je le crois ?

Car elle donne la possibilité de connaître la chose qui apaisera le cœur de tous les Hommes.

L'amour.

Mais seulement, quelques élites pourront un jour accéder à ce luxe. Car aimer réellement n'est pas à la portée de tout le monde.

Tous les lâches et les infidèles pourront bien périr. L'amour est le seul, qui saura perdurer dans le gouffre de l'espace et du temps. Dans les plus grandes profondeurs de l'Océan ou de l'Univers. L'amour le vrai, s'il existe, perdurera.

Alors c'est maintenant sans ironie que je vous dis cela.

La raison pour laquelle je me lève chaque matin, c'est dans l'espoir d'un jour connaître cet amour éternel.

Vous vous demandez sûrement si je rigole encore. Mais il n'en est rien. C'est assez honteux pour moi de vous dire cela, mais de ce qu'on m'en dit, pas tellement. Mais j'ai honte de vous dévoiler cela, encore plus ici. J'ai pour rêve d'aimer. D'aimer à la folie, passionnément, avec toute ma raison juste avant qu'elle ne se perde à cause du trop gros sentiment.

Certains trouveront cela beau, d'autre ridicule, mais j'ai pour rêve d'un jour mourir dans les bras de cet amour.

C'est sûrement mon plus grand secret, mais derrière toute cette haine pour l'existence, j'ai un cœur qui ne demande qu'à être pris. C'est maintenant à découvert que je puis vous dire ceci, je rêve de cette danseuse au coucher du soleil chaque soir. Avant de m'endormir, je pense à Elle, à l'heure de manger, je pense à Elle, quand je lis, je pense à Elle Quand je !

Elle est partout, elle me tend la main, mais je n'ai pas encore le bras assez long pour prendre la sienne. Mais ce jour, je l'espère, ne saurait trop tarder. Dans ses yeux aux reflets pailletés, je rêverais d'y voir son démon s'endormir. Puis que main dans la main nous nous embrassions. Que sous une pleine lune, nous couchions ensemble, pour finir par s'endormir l'un sur l'autre.

Qu'espérer de mieux pour une vie si misérable finalement, que l'amour ?

Chapitre 25

C'est donc décidé. À partir de maintenant je vivrais dans le seul et unique but d'un jour, trouver l'amour et de le faire perdurer.

Après avoir fait l'expérience de la mort, sur un lit souvent dernier, soudainement Elle m'apparut. Comme un vif flash qui réveille d'un long sommeil, je me réveillais en sursaut.

La tête encore anesthésiée par la morphine, je la voyais danser dans un immense champ de blé. Elle tournait sur elle-même, comme à son habitude et me tendait la main.

— Étoile ?

— Oui ?

— Donnez-moi votre main.

— Étoile ? Étoile ?

— Vous allez bien ?

— J'ai mal à la tête.

— Je vous laisse vous reposer encore un peu. Ne vous inquiétez pas.

La tête alors lourde et encore sonnée, je me rendormis. Sur ce qui semblait être un brancard et son tirant, je voyais trouble.

Je me rendormis, une seconde fois.

Quand plus rien n'avait de sens, finalement, je croyais avoir vu au détour de ce vaste pré, la perle.

Pendant que je cherchais à nouveau cet éclat, il avait disparu.

Bien étrange.

Alors maintenant transporté dans cette forêt de pins, je me mis à courir. D'un pas régulier, puis d'une course effrénée. Le soleil se couchait à présent sur cette face de la Terre et les quelques rayons encore visibles traversaient avec difficultés les fils des feuilles de pins.

Sur quelques-unes de ces coquilles marrons, reflétait l'orange se couchant.

Continuant ma course, je voyais un sanglier.

Je m'arrêtais un instant pour le regarder et le laisser continuer sa route.

Il semblait s'approcher de moi.

D'un pas alors excité et apeuré, je reculais doucement. Une branche craqua.

L'animal avait tourné la tête, d'un mouvement net et me fixait.

Il reculait puis prenait appui sur ces pattes, comme pour charger. Je me mis à courir et un soudain coup de feu l'avait immobilisé. La balle avait explosé son corps pourtant robuste et le sang coulait à flots.

L'amour dans tout cela ?

Il n'y en avait aucun, si ce n'est celui que j'éprouvais pour cElle que je courais.

Vous commencez sûrement à comprendre peu à peu ce qui se trame et tout devient un peu plus clair chaque jour pour vous. Ou peut-être que tout devient un peu plus opaque et que le monde que je me suis créé peut donc plus facilement se superposer.

Il faudra bien un jour que tout puisse se mettre en place, que la cérémonie puisse avoir lieu. Celle du mariage. Cette union si sacrée, qui rassemble les deux âmes pour « l'éternité ».

Puis on inventa le divorce.

Le besoin d'aimer, mais l'impossibilité profonde de pouvoir l'être : amoureux.

C'est d'ailleurs ici que se trouve la plus grande souffrance de l'union. C'est quand il est forcé est impossible.

Parfois, il dure, parfois il se change, parfois il s'adapte parfaitement, mais parfois il se fissure jusqu'à se fracturer lentement.

Pourtant d'un désir aussi brûlant que le feu, l'Homme dans sa quête d'amour et de passion serait prêt à écraser n'importe quoi, bien n'importe qui.

C'est donc dans ce but qu'on a permis le contrat officiel de l'union entre les deux amants. Éviter la forte jalousie et restreindre la liberté. Mais ce n'est pas seulement cela, il faut se l'avouer.

C'est un aboutissement, mais bien un désir personnel de pure auto-satisfaction. Mais cela, je le pense en tout cas, n'a rien de vraiment mauvais dans le fond. Mais si je devais encore vous dire pourquoi tout cela est bien futile, je devrais changer de carnet de notes.

C'est Pomme, qui aurait bien de la lecture.

Faute de pouvoir tout dire, je me contenterais alors de la décrire.

Vous semblez commencer à la connaître.

Ses cheveux volants, sa robe flottante et son regard pénétrant. Ses yeux d'un bleu du plus pur des lapis-lazulis.

Les paupières fermées et l'espace bien lisse, elle courait, sans regarder. Elle tournoyait dans le vide. Pris de peur j'essayais de la saisir pour ne pas qu'elle tombe, mais.

Elle m'échappait toujours.

Impossible de la prendre entre mes doigts, comme ce poisson au fond de l'océan.

Si vous saviez à quel point elle me donne envie.

Comme une faim qui pousse à la folie ou à ces quatre murs qui rendent aveugle.

Pire que la maison du détenu, ma pensée. C'est ce qui m'envahit quand elle m'échappe. Bercé de doute et d'incertitudes, je me sens terriblement seul et attiré par la grande spirale du désespoir.

Je ne compte plus le nombre de fois depuis aujourd'hui qu'il m'est arrivé de fixer étrangement dans le vide. Pensant toujours aux mêmes obsessions, sans me lasser. Mais, il me vient à cette heure un certain dégoût. Je me rends compte petit à petit que rien n'avance malgré mes envies ardentes. Que le temps s'écoule et que je perds mon temps bêtement.

Je n'arrive pas à me concentrer, d'ailleurs j'écrirais bientôt sur cela, vous verrez.

On m'a souvent considéré comme étant bizarre, un peu décalé. Il m'est arrivé, mais peu de fois, d'avoir des conversations que je trouvais vraiment bonnes et enrichissantes. Elle tourne malheureusement vite à la répétition à cause du manque de clarté. Car les âmes aux mêmes stades se heurtent aux mêmes obstacles. Il serait bien cupide de ma part de penser que main dans la main nous avancerions.

C'est à ce moment-là, vers minuit et quelques, que nous contemplerons cette barrière, cette immense faille.

Qu'il est bon de se sentir moins seul un instant.

Mais tout cela ne durera pas. Car les gens changent, ils évoluent. Alors que moi, depuis tout ce temps je me sens lourd. J'ai l'impression de marcher dans ce vide et pourtant de ne pas avancer.

Plonger tête la première dans les mêmes tourments qu'il y a seize ans, je finirai bientôt par arrêter.

Mon traitement commence à faire effet, je sens qu'il pénètre ma peau par mes canaux internes et atteindra bientôt le haut de mon crâne.

Tu la sens ? Cette puissance jaillit qui émane de mes pores ? C'est celle qui déborde de puissance et de stratégie pour t'atteindre.

Si tu penses que je délire, tu n'en es pas au bout de tes peines.

On viendra bientôt te dénicher et je serais enfin libéré de tous ses maux.

Que Dieu ou un certain créateur ai pitié de moi et qu'il accepte mon pardon. Pardon de n'avoir pas cru, pardon de n'avoir jamais su sociabiliser, avec, l'autre.

Putain, si tu savais comment je me ferrais un plaisir de tout exploser pour toi.

Mais pardonne-moi et tue-moi si c'est ton plus profond désir. Mais garde la torture pour tes détracteurs. Je suis juste un homme, qui vit miséricordieusement.

Qui se contente de survivre pour satisfaire son égo rempli de peur et les yeux de cette danseuse.

Ou c'est sûrement pour Elle que je suis prêt à tous ces sacrifices.

À vrai dire, pour la première fois de ma vie je suis bien dépassé par tout cela. Ou peut-être que pour la première fois, je m'en rends compte.

Je pleure, chaque nuit, dans l'instant échec de ne pas pouvoir la serrer dans mes bras.

Je pensais naïvement pouvoir la remplacer par une couverture roulée en boule et de la musique.

Je me rends aujourd'hui compte de sa nécessité pour moi.

Amour

Puis un jour, je l'ai finalement attrapé.

Elle

Au soir ensoleillé par son rayon,
Doux ange tombée du ciel,
Rendit mon esprit en furie, vacillant.
Je l'admirais voler dans le ciel,
Vibrant d'envie, jusqu'au bassin.
Devant la flamme, je voyais cette ombre,
Intensément et rapidement,
Qu'elle s'amusait à agiter devant mes yeux.
De gauche à droite,
En suivant le cours du vent, la fumée,
Pourtant transparente m'était visible,
Par plis réguliers dans l'air.
Alors pour essayer de la comprendre,
Je me brûlais les doigts.
Heureux de pouvoir enfin la saisir,
Je me calcinais les doigts d'envie,

Jusqu'à ce qu'ils m'en tombent.
Ce démon dissimulé m'avait piégé.
Son filet empoisonné m'emprisonnait.
Fureur ?
Non.
Je me laissais traîner par son courant.
Elle me transportait, guidait, contrôlait.
Jusqu'à l'extase, je détendais,
L'entièreté de mon corps.
C'est l'amour qui maintenant,
Traversait ma peau,
La caressait.
Bien plus qu'agréablement,
Je souriais et mon ventre rougissait.
Du plus intense des bonheurs,
mon corps chaud parlait.
Bien loin de tous ces maux,
Je me sentais enfin libre.
Absurde ?
Je ne sais plus vraiment,
Ce que signifie ce mot.
Car ce monde aux habitudes bien cruel,
Aujourd'hui acceptait mon pardon.
C'est donc cela la foi ?
Se laisser guider par l'envie du Saint ?
Se serait donc cela,
Ce sentiment, dont me parlait ce vieux fourbe
Dans ma cage ?
Si vous vous souvenez de cela,

Je vous en suis bien redevable.
Mais revenons-en à Elle.
Aux cheveux de soie,
Aux yeux scintillants,
Aux jambes blanches,
Et à ces ailes déployées.
Je sais que cela peut paraître fou,
Mais c'est ce que je ressens,
Ce sont mes Émotions.
C'est de cela que j'ai besoin,
De cette chaleur.
Je préfère encore perdre la vue,
Que de la perdre de vue.
Je préfère qu'on m'enfonce,
Le plus long des pieux,
Dans le cœur,
Que de revivre tous ces malheurs.
À présent.
Je ne pourrais plus jamais être le même,
Après avoir goûté à ce délice,
À ce festin, que me donnait aujourd'hui,
La vie.
Envoyée de Dieu sur terre,
Doux ange piégeur,
Ô à mon grand bonheur je suis,
Tombé.
Toujours héritiers de ce démon,
Tu ne me juges pas.
Je t'aime.

Du plus profond que l'on puisse aimer,
Du peu que j'en connais.
Cette Émotion, nouvelle,
Mais la plus appétissante.
Et je promets,
Autour de ce feu,
Et de ces crocs acérés,
Que je serais bien doux.
L'animal autrefois enfoui,
C'est réveillé.
Pour toi, il est aujourd'hui sorti.
Mais ne t'approche pas trop,
Je m'occupe de lui,
Ne t'attache non plus à lui,
Je t'en supplie.
On m'a promis que je changerais,
Et on m'a toujours appris à croire,
Par dépit et rentabilité.
Mais aujourd'hui,
c'est la Furor qui m'envahit.

À ma psychologue

— Tenez.

— *Émotions,* intéressant. C'est le nom que vous lui avez donné ?

— Oui.

— C'est très joli, Étoile. Je me ferai un plaisir de lire tout ça alors.

— J'ai tout fait, comme vous me l'aviez dit.

— Et tu te sens mieux maintenant ?

— À vrai dire, je n'en sais toujours rien.

Imprimé en Allemagne
Achevé d'imprimer en avril 2022
Dépôt légal : avril 2022

Pour

Le Lys Bleu Éditions
40, rue du Louvre
75001 Paris